携手迎接挑战 合作开创未来

——在博鳌亚洲论坛2022年年会开幕式上的主旨演讲

（2022年4月21日）

习 近 平

人民出版社

携手迎接挑战
合作开创未来

——在博鳌亚洲论坛2022年年会
开幕式上的主旨演讲

（2022年4月21日，北京）

中华人民共和国主席　习近平

尊敬的各位国家元首、政府首脑，

尊敬的各位国际组织负责人，

尊敬的各位博鳌亚洲论坛理事，

各位来宾，

女士们，先生们，朋友们：

很高兴同各位新老朋友再次在“云端”相聚，共同出席博鳌亚洲论坛2022年年会。首先，我谨代表中国政府和中国人民，并以我个人的名义，对出席年会的嘉宾,表示诚挚的欢迎!对年会的召开,表示热烈的祝贺!

当下,世界之变、时代之变、历史之变正以前所未有的方式展开,给人类提出了必须严肃对待的挑战。人类还未走出世纪疫情阴霾,又面临新的传统安全风险;全球经济复苏仍脆弱乏力,又叠加发展鸿沟加剧的矛盾;气候变化等治理赤字尚未填补,数字治理等新课题又摆在我们面前。在这样的背景下,论坛年会以"疫情与世界:共促全球发展,构建共同未来"为主题,具有重要意义。

"安危不贰其志,险易不革其心。"人类历史告诉我们,越是困难时刻,越要坚定信心。矛盾并不可怕,正是矛盾推动着人类社会进步。任何艰难曲折都不能阻挡历史前进的车轮。面对重重挑战,我们决不能丧失信心、犹疑退缩,而是要坚定信心、激流勇进。

女士们、先生们、朋友们!

冲出迷雾走向光明,最强大的力量是同心合力,最有效的方法是和衷共济。过去两年多来,国际社会为应对新冠肺炎疫情挑战、推动世界经济复苏发展作出了艰苦努力。困难和挑战进一步告诉我们，人类是休戚与共的命运共同体，各国要顺应和平、发展、合作、共赢的时代潮流，向着构建人类命运共同体的正确方向，携手迎接挑战、合作开创未来。

——**我们要共同守护人类生命健康**。人民生命安全和身体健康是人类发展进步的前提。人类彻底战胜新冠肺炎疫情还需付出艰苦努力。各国要相互支持，加强防疫措施协调，完善全球公共卫生治理，形成应对疫情的强大国际合力。要坚持疫苗作为全球公共产品的属性，确保疫苗在发展中国家的可及性和可负担性。中国已经向 120 多个国家和国际组织提供超过 21 亿剂疫苗。无论是对外提供疫苗还是海外生产疫苗，中国都言必信、行必果。中国将继续向非洲、东盟分别援助 6 亿剂、1.5 亿剂疫苗，为弥合“免疫鸿沟”作出积极努力。

——**我们要共同促进经济复苏**。新冠肺炎疫情对过去10年全球减贫成果造成重大冲击，复苏不均衡加剧全球不平等，南北鸿沟持续扩大。我们要坚持建设开放型世界经济，把握经济全球化发展大势，加强宏观政策协调，运用科技增强动能，维护全球产业链供应链稳定，防止一些国家政策调整产生严重负面外溢效应，促进全球平衡、协调、包容发展。要坚持以人民为中心，把促进发展、保障民生置于突出位置，实施政策、采取措施、开展行动都要把是否有利于民生福祉放在第一位。要关注发展中国家紧迫需求，围绕减贫、粮食安全、发展筹资、工业化等重点领域推进务实合作，着力解决发展不平衡不充分问题。去年，我提出了全球发展倡议，得到联合国等国际组织和近百个国家响应和支持。我们正在同国际社会一道，稳步推进倡议落地落实。

——**我们要共同维护世界和平安宁**。“治国常富，而乱国常贫。”安全是发展的前提，人类是不可分割的安全共同体。事实再次证明，冷战思维只会破坏全球和平框架，霸权主义和强权政治只会危害世界和平,集团对抗只会加剧21世纪安全挑战。为了促进世界安危与共,中方愿在此提出全球安全倡议:我们要坚持共同、综合、合作、可持续的安全观,共同维护世界和平和安全;坚持尊重各国主权、领土完整,不干涉别国内政,尊重各国人民自主选择的发展道路和社会制度;坚持遵守联合国宪章宗旨和原则,摒弃冷战思维,反对单边主义,不搞集团政治和阵营对抗;坚持重视各国合理安全关切,秉持安全不可分割原则,构建均衡、有效、可持续的安全架构,反对把本国安全建立在他国不安全的基础之上;坚持通过对话协商以和平方式解决国家间的分歧和争端,支持一切有利于和平解决危机的努力,不能搞双重标准,反对滥用单边制裁和"长臂管辖";坚持统筹维护传统领域和非传统领域安全,共同应对地区争端和恐怖主义、气候变化、网络安全、生物安全等全球性问题。

——我们要共同应对全球治理挑战。世界各国乘坐在一条命运与共的大船上,要穿越惊涛骇浪、驶向光明未来，必须同舟共济，企图把谁扔下大海都是不可接受的。国际社会发展到今天已经成为一部复杂精巧、有机一体的机器，拆掉一个零部件就会使整个机器运转面临严重困难，被拆的人会受损，拆的人也会受损。当今世界，任何单边主义、极端利己主义都是根本行不通的，任何脱钩、断供、极限施压的行径都是根本行不通的，任何搞“小圈子”、以意识形态划线挑动对立对抗也都是根本行不通的。我们要践行共商共建共享的全球治理观，弘扬全人类共同价值，倡导不同文明交流互鉴。要坚持真正的多边主义，坚定维护以联合国为核心的国际体系和以国际法为基础的国际秩序。大国尤其要作出表率，带头讲平等、讲合作、讲诚信、讲法治，展现大国的样子。

女士们、先生们、朋友们！

亚洲人民历经热战冷战，饱经沧桑忧患，深知和平弥足珍贵，发展来之不易。过去几十年，亚洲地区总体保持稳定，经济持续快速增长，成就了“亚洲奇迹”。亚洲好世界才能更好。我们要继续把亚洲发展好、建设好，展现亚洲的韧性、智慧、力量，打造世界的和平稳定锚、增长动力源、合作新高地。

第一，坚定维护亚洲和平。地区和平稳定不是天上掉下来的，也不是哪个国家的施舍，而是地区国家共同努力的成果。今天，亚洲首倡的和平共处五项原则和“万隆精神”更加具有现实意义。我们要秉持相互尊重、平等互利、和平共处等原则，奉行睦邻友好政策，把命运牢牢掌握在自己手中。

第二，积极推动亚洲合作。亚洲国家谚语说，“遇山一起爬，遇沟一起跨”、“甘蔗同穴生，香茅成丛长”。共赢合作是亚洲发展的必由之路。《区域全面经济伙伴关系协定》正式生效，中老铁路建成通车，有效提升了地区硬联通、软联通水平。我们要以此为契机，推动亚洲形成更加开放的大市场，促进亚洲共赢合作迈出新步伐。

第三，共同促进亚洲团结。用对话合作取代零和博弈，用开放包容取代封闭排他，用交流互鉴取代唯我独尊，这是亚洲应有的襟怀和气度。我们要巩固东盟在地区架构中的中心地位，维护兼顾各方诉求、包容各方利益的区域秩序。国家无论大小强弱，无论域内域外，都应该为亚洲添彩而不添乱，都要共走和平发展大道，共谋合作共赢大计，共创团结进步的亚洲大家庭。

女士们、先生们、朋友们！

两个多月前，中国向世界奉献了简约、安全、精彩的北京冬奥会、冬残奥会，为各国人民带来了温暖和希望。下半年，我们将召开中国共产党第二十次全国代表大会，擘画中国未来发展蓝图。

中国经济韧性强、潜力足、回旋余地广、长期向好的基本面不会改变，将为世界经济企稳复苏提供强大动能，为各国提供更广阔的市场机会。中国将全面贯彻新发展理念，加快构建新发展格局，着力推动高质量发展。不论世界发生什么样的变化，中国改革开放的信心和意志都不会动摇。中国将扩大高水平对外开放，深入实施外资准入负面清单，扩大鼓励外商投资范围，优化外资促进服务，增设服务业扩大开放综合试点。中国将扎实推进自由贸易试验区、海南自由贸易港建设，对接国际高标准经贸规则，推动制度型开放。中国将全面实施《区域全面经济伙伴关系协定》，推动同更多国家和地区商签高标准自由贸易协定，积极推进加入《全面与进步跨太平洋伙伴关系协定》和《数字经济伙伴关系协定》。中国将坚持高标准、可持续、惠民生的目标，积极推进高质量共建"一带一路"。中国将始终不渝坚持走和平发展道路，始终做世界和平的建设者、全球发展的贡献者、国际秩序的维护者。

女士们、先生们、朋友们！

中国古人说，日日行，不怕千万里；常常做，不怕千万事。只要我们携手同心、行而不辍，就一定能汇聚起合作共赢的伟力，战胜前进道路上的各种挑战，迎来人类更加光明美好的未来。

谢谢大家。

图书在版编目(CIP)数据

携手迎接挑战,合作开创未来:在博鳌亚洲论坛 2022 年年会开幕式上的主旨演讲/习近平 著. —北京:人民出版社,2022.5
ISBN 978-7-01-024750-2

Ⅰ.①携… Ⅱ.①习… Ⅲ.①习近平-讲话-学习参考资料②经济发展-亚洲-2022-学习参考资料 Ⅳ.①D2-0②F130.4

中国版本图书馆 CIP 数据核字(2022)第 071847 号

(RMC-ZJDXI-126-20220421)

携手迎接挑战,合作开创未来

XIESHOU YINGJIE TIAOZHAN HEZUO KAICHUANG WEILAI

——在博鳌亚洲论坛 2022 年年会开幕式上的主旨演讲

(2022 年 4 月 21 日)

习 近 平

人民出版社 出版发行
(100706 北京市东城区隆福寺街 99 号)

北京新华印刷有限公司印刷 新华书店经销

2022 年 5 月第 1 版 2022 年 5 月北京第 1 次印刷
开本:880 毫米×1230 毫米 1/32 印张:0.5
字数:6 千字

ISBN 978-7-01-024750-2 定价:2.00 元

邮购地址 100706 北京市东城区隆福寺街 99 号
人民东方图书销售中心 电话 (010)65250042 65289539